MES PREMIÈRES COMPTINES
ANGLAISES

ILLUSTRATIONS

Magali Le Huche couverture, p. 4, 8, 12, 18, 20, 22, 28, 32, 34
Roland Garrigue p. 6, 10, 14, 16, 24, 26, 30, 36, 38, 40
Olivier Renoust (gestuelles)

COLLECTAGE ET COMMENTAIRES

Jeanette Loric
Responsable pédagogique des Mini-Schools et rédactrice en chef des Mini-Schools magazine

Didier Jeunesse
Les Petits cousins

THIS LITTLE BIRD

This little bird flaps its wings
Flaps its wings, flaps its wings
This little bird flaps its wings
And flies away in the morning

LES PETITS POISSONS DANS L'EAU

Les petits poissons dans l'eau
Nagent, nagent, nagent, nagent, nagent
Les petits poissons dans l'eau
Nagent aussi bien que les gros
Les petits, les gros nagent comme il faut
Les gros, les petits nagent bien aussi

Les petits oiseaux là-haut
Volent, volent, volent, volent, volent
Les petits oiseaux là-haut
Volent aussi bien que les gros
Les petits, les gros volent comme il faut
Les gros, les petits volent bien aussi

DINGLE DANGLE SCARECROW

When all the cows were sleeping
And the sun had gone to bed
Up jumped the scarecrow
And this is what he said:
I'm a dingle dangle scarecrow
With a flippy floppy hat
I can shake my hands like this
I can shake my feet like that

UN PETIT POUCE QUI MARCHE

Un petit pouce qui marche {ter}
Et ça suffit pour s'amuser
Une petite main qui danse {ter}
Et ça suffit pour s'amuser
Un petit pied qui bouge {ter}
Et ça suffit pour s'amuser

JELLY ON A PLATE

One jelly on a plate
Wibble wobble
Two ducks on a pond
Wibble wibble
Wobble wobble
Three old ladies going to market
Wibble wibble wibble
Wobble wobble wobble

IL ÉTAIT UNE FERMIÈRE

Il était une fermière
Qui allait au marché
Elle portait sur sa tête
Trois pommes dans un panier
Les pommes faisaient rouli roula {bis}
Trois pas en avant
Trois pas en arrière
Trois pas sur le côté
Trois pas de l'autre côté

THREE LITTLE KITTENS

The three little kittens they lost their mittens
And they began to cry
Oh, Mother dear, we sadly fear
That we have lost our mittens
What! Lost your mittens, you naughty kittens!
Then you shall have no pie
Mee-ow, mee-ow, mee-ow, mee-ow
Then you shall have no pie

The three little kittens they found their mittens
And they began to cry
Oh, Mother dear, see here, see here
For we have found our mittens
What! Found your mittens, you good little kittens!
Then you shall have some pie
Purr-r, purr-r, purr-r, purr-r
Then you shall have some pie

TROIS PETITS MINOUS

Trois petits minous
Qui avaient perdu leurs mitaines
S'en vont trouver leur mère
Maman nous avons perdu nos mitaines
Perdu vos mitaines ?
Vilains petits minous
Vous n'aurez pas de crème !

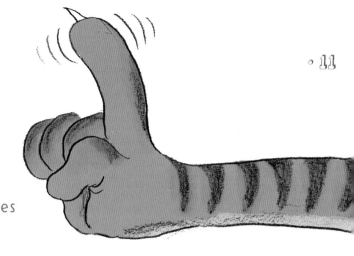

Trois petits minous
Qui avaient retrouvé leurs mitaines
S'en vont trouver leur mère
Maman nous avons retrouvé nos mitaines
Retrouvé vos mitaines ?
Gentils petits minous
Vous aurez plein de crème !

WIND THE BOBBIN UP

Wind the bobbin up {bis}
Pull, pull, clap, clap, clap
Point to the ceiling
Point to the floor
Point to the window
Point to the door
With your hands clap one, two, three
Put your hands upon your knee

ENROULEZ LE FIL

Enroulez le fil
Déroulez le fil
Et tire, et tire
Et tape, tape, tape
La la la la la la la la...

LONDON BRIDGE IS FALLING DOWN

London Bridge is falling down
Falling down, falling down
London Bridge is falling down
My fair Lady
Build it up with sticks and stones
Sticks and stones, sticks and stones
Build it up with sticks and stones
My fair Lady

LA TOUR EIFFEL
A TROIS CENTS MÈTRES

La tour Eiffel
A trois cents mètres
Du haut en bas
On voit la Seine
Pour y monter
Il faut payer
Tous les millions
Qu'elle a coûtés

MICHAEL FINNEGAN

There was an old man called Michael Finnegan
He grew whiskers on his chin-agin
The wind came up and blew them in again
Poor old Michael Finnegan
Begin again

BARBAPOU

Y'avait dans mon village
Un homme qui s'appelait Pou
Il avait une barbe
Une barbe pleine de poux
Barbe à poux
Barbapou, Barbapou...

DODO GOUTTE D'EAU

Dodo goutte d'eau
Tout le long de la fenêtre
Dodo goutte d'eau
Tout le long des carreaux
Le vent siffle sous la porte
Et le feu s'est endormi
La chanson de l'eau apporte
Le sommeil à ses amis
Dodo goutte d'eau
Tout le long de la fenêtre
Dodo goutte d'eau
Tout le long des carreaux

WEE WILLIE WINKIE

Wee Willie Winkie runs through the town
Upstairs and downstairs in his night-gown
Rapping at the window
Crying through the lock
Are the children all in bed
For now it's eight o'clock?

HERE IS THE TREE

Here is the tree with leaves so green
Here are the apples that hang between
When the wind blows the apples fall
Here is a basket to gather them all

JE FAIS LE TOUR DE MON VERGER

Je fais le tour de mon verger
J'ai un pêcher
Un poirier
Un pommier
Un prunier
Un cerisier
Et un tout petit ruisseau
Où s'en vont boire tous les oiseaux

SING, SING, SING

Sing, sing, sing a little song with me
About a rainbow or an apple tree
And you can sit here in the sun with me
And we can sing a little song

Y'A UNE PIE DANS L'POIRIER

Y'a une pie dans l'poirier
J'entends la pie qui chante
Y'a une pie dans l'poirier
J'entends la pie chanter
J'entends, j'entends
J'entends la pie qui chante
J'entends, j'entends
J'entends la pie chanter

ORANGES AND LEMONS

Oranges and lemons
Say the bells of Saint Clement's
I owe you five farthings
Say the bells of Saint Martin's
When will you pay me?
Say the bells of Old Bailey
When I grow rich
Say the bells of Shoreditch

Here comes a candle to light you to bed
Here comes the chopper to chop off your head
Chop, chop, chop, chop, chop
Orange or lemon?

LA P'TITE HIRONDELLE

Passe, passe, passera
La dernière, la dernière
Passe, passe, passera
La dernière restera

Qu'est-ce qu'elle a donc fait la p'tite hirondelle ?
Elle nous a volé trois p'tits grains de blé
Nous la rattraperons la p'tite hirondelle
Et nous lui donnerons trois p'tits coups de bâton
Un, deux, trois
Pomme ou abricot ?

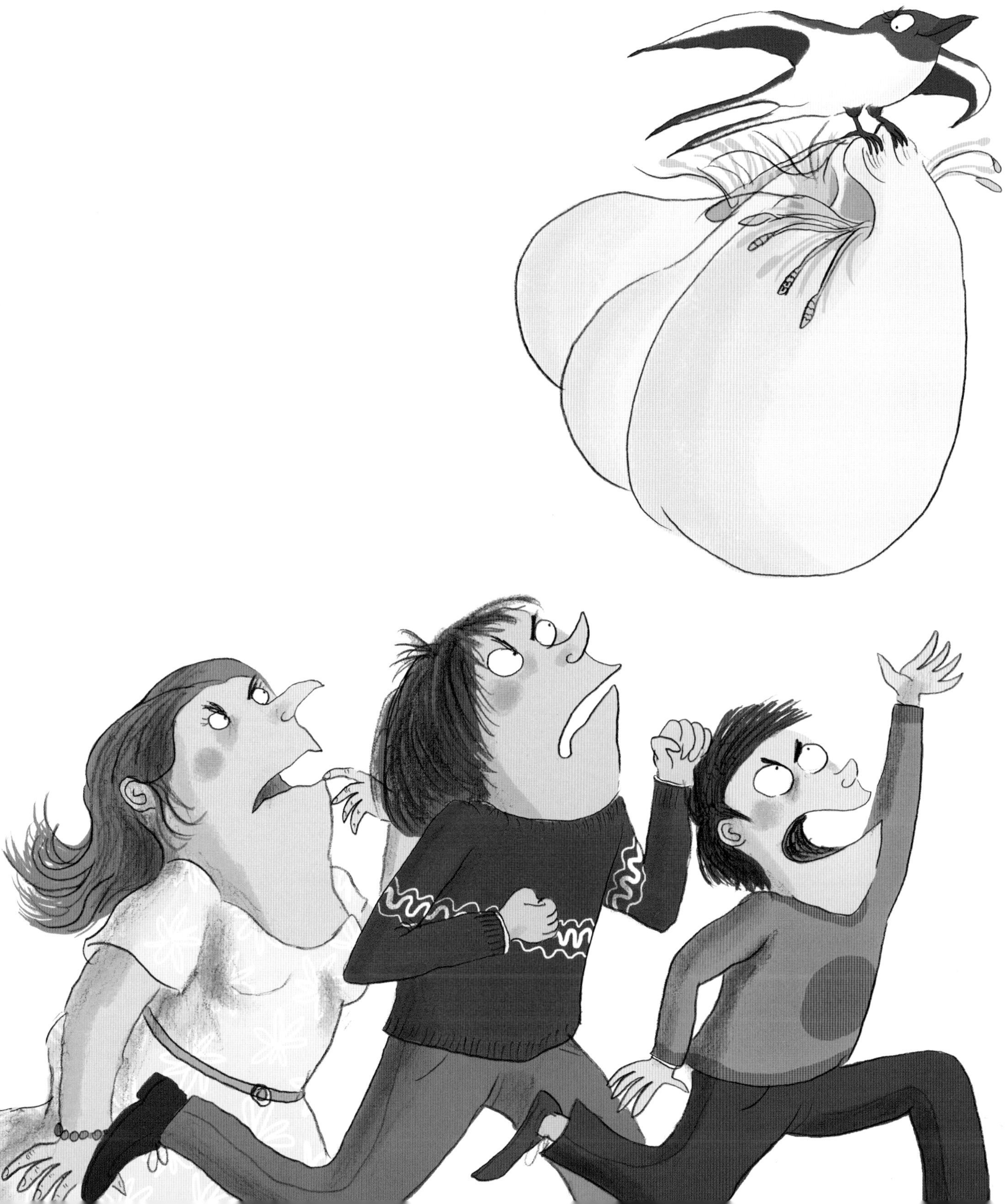

AIKEN DRUM

There was a man lived in the Moon ·
Lived in the moon, lived in the Moon
There was a man lived in the Moon ·
And his name was Aiken Drum
And he played upon a ladle
A ladle, a ladle
And he played upon a ladle
And his name was Aiken Drum

And his hat was made of good cream cheese
Of good cream cheese, of good cream cheese
And his hat was made of good cream cheese
And his name was Aiken Drum

LE PETIT CRAPAUD

Assis sur une prune, un petit crapaud
Regardait la Lune avec son chapeau
Son chapeau à plumes avec des grelots

Madame la Lune, penchez-vous sur l'eau
Vous verrez la Lune qui met son chapeau
Son chapeau à plumes avec des grelots

TEDDY BEAR

Teddy Bear, Teddy Bear, turn around
Teddy Bear, Teddy Bear, touch the ground
Teddy Bear, Teddy Bear, show your shoe
Teddy Bear, Teddy Bear, that will do

MON BON PAPA M'A DONNÉ

Mon bon papa m'a donné
Un bel ourson de peluche
Mon bon papa m'a donné
Un bel ours enrubanné
Marquez la cadence
Voyez comme je danse
Fais marcher tes gros pieds lourds
Mon bel ourson de velours

I'M A LITTLE TEAPOT

I'm a little teapot
Short and stout
Here's my handle
And here's my spout
When I see the teacups
Hear me shout
Pick me up
And pour me out

J'AI CASSÉ
LA VAISSELLE À MAMAN

J'ai cassé la vaisselle à maman
Regardez comment on s'y prend
1, 2, 3

THE WHEELS ON THE BUS

The wheels on the bus
Go round and round
Round and round
Round and round
The wheels on the bus
Go round and round
All day long

The wipers on the bus
Go swish, swish, swish...

The horn on the bus
Goes beep, beep, beep...

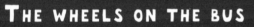

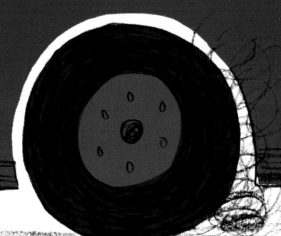

LA TOTOMOBILE

Ah tut tut pouêt pouêt, la voilà
La totomobile
Ah tut tut, pouêt pouêt la voilà
Qu'est-ce qu'elle fait donc là ?

Jour mémorable de sa première sortie
Quand elle entra dans une boulangerie
Dans une boulangerie ! Aahh !

Jour mémorable de sa deuxième sortie...

WE CAN PLAY

Oh, we can play on the big bass drum
And this is the way we do it
Boom, boom, boom
Goes the big bass drum
And that's the way we do it

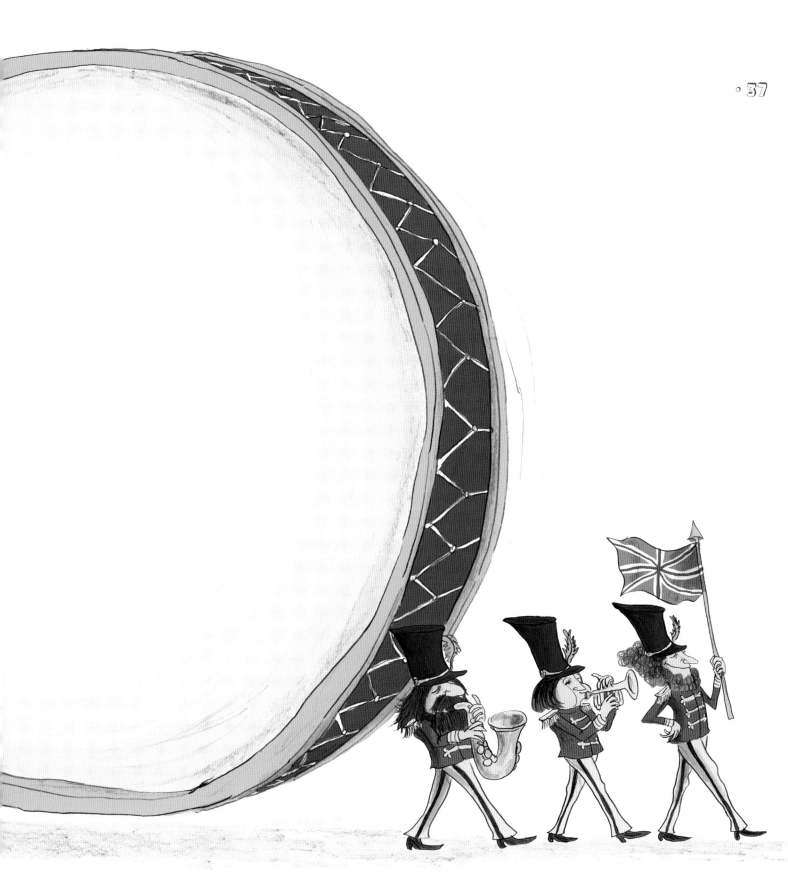

LA MISTENLAIRE

Bonhomme, bonhomme
Que savez-vous faire ?
Savez-vous jouer de la mistenlaire ?
Laire, laire, laire, de la mistenlaire ?
Ha ! ha ! ha ! Que savez-vous faire ?

Bonhomme, bonhomme
Que savez-vous faire ?
Savez-vous jouer de la mistenflûte ?
Flûte, flûte, flûte, de la mistenflûte ?
Laire, laire, laire, de la mistenlaire ?
Ha ! ha ! ha ! Que savez-vous faire ?

ALICE THE CAMEL

Alice the camel has three humps {ter}
So go Alice go!
A-boom, boom, boom!

Alice the camel has two humps...

TROIS ÉLÉPHANTS

Trois éléphants qui se balançaient
Sur une toile, toile, toile, toile d'araignée
C'était un jeu tellement, tellement amusant
Que tout d'un coup
Ba-da-boum !

Deux éléphants qui se balançaient...

LES COMMENTAIRES

INTRODUCTION

Cet album-CD présente des comptines anglaises et françaises. Issues de la tradition orale, leur origine est très lointaine. On les retrouve dans toutes les cultures du monde. D'une langue à l'autre, comptines et chansons sont cousines et nous nous sommes amusés à les marier. Les correspondances peuvent être thématiques, musicales ou gestuelles... Mais toutes nous parlent le langage du plaisir et de la poésie. Seules les formulettes à compter et à désigner sont à proprement parler des comptines. Mais, pour plus de commodité, nous avons aussi regroupé sous ce terme des danses, des chansons, des berceuses et des formulettes de jeux.

En Angleterre, les comptines sont appelées *Nursery Rhymes.* Leurs origines sont souvent inconnues puisqu'elles ont été transmises oralement de génération en génération.

POURQUOI PRÉSENTER AUX JEUNES ENFANTS DES CHANSONS EN LANGUE ÉTRANGÈRE ?

Il faut d'abord redire toute la richesse de cette vieille tradition orale transmise par l'entourage de l'enfant. Il écoute, puis mime et chante ces textes et devient ainsi sensible au rythme, à la saveur de sa langue maternelle, à la poésie et à l'humour de sa culture.

À partir de cette tradition musicale, nous souhaitons lui proposer une ouverture vers une autre langue, une autre culture, par un lent processus d'imprégnation. En effet, les jeunes enfants ont encore une souplesse qui leur permet d'imiter et d'assimiler avec facilité toutes les intonations des langues étrangères. Il ne s'agit pourtant pas d'un «apprentissage» systématique: ces jeux, à la fois corporels et verbaux, doivent rester spontanés, fondés sur un climat de confiance et de complicité.

Nous souhaitons offrir à l'enfant une «sensibilisation» plus qu'une véritable «initiation» à l'anglais. C'est tout le plaisir de communiquer qui incitera l'enfant à dire et redire ces textes sans cesse et, au-delà des quelques jeux qu'ils entraînent, à comprendre et mémoriser de manière intuitive cette autre langue.

CERTAINS ACCENTS NE SONT-ILS PAS DIFFICILES POUR LES ENFANTS ?

Au contraire! Comptines et chansons permettent de découvrir l'anglais de façon ludique et les enfants adorent s'emparer des accents savoureux.

OÙ SONT LES TRADUCTIONS ?

Les traductions figurent à la fin du livre, et non à côté des paroles originales. C'est délibéré. Il est préférable en effet d'aborder une langue étrangère sans le recours systématique à la traduction. On garde ainsi toute la saveur de la version originale, on évite la répétition inhérente à la traduction et surtout on n'isole pas les mots du contexte qui leur donne un sens puisque l'on propose à l'enfant de parler en situation (ici, en situation de jeu); actif, il perfectionne ainsi son imitation et intègre comme un réflexe la syntaxe, la prononciation et le sens de la langue étrangère.

COMMENT COMPTINES ET CHANSONS SE RÉPONDENT-ELLES ?

Cet album est conçu pour inciter l'enfant, sollicité et accompagné par l'adulte, à établir des correspondances entre les différents repères dont il dispose avec le livre, le CD et surtout avec le jeu vécu à partir des différentes chansons. Les comptines présentent plusieurs types de correspondances:

– correspondances gestuelles

L'enfant connaît généralement les comptines et chansons françaises ainsi que la gestuelle, la ronde ou la danse qui les accompagnent, proches de celles des cousines anglaises. C'est grâce à ces activités communes que l'enfant aborde les comptines et chansons, les comprend puis les mémorise.

– correspondances thématiques

Les sujets traités par les chansons françaises d'une part, anglaises d'autre part sont souvent proches et donnent à l'enfant des indices sur le contenu des textes en langue étrangère.

– correspondances visuelles

Les illustrations sont des clefs de compréhension véritables car elles donnent à la fois une vision globale de l'histoire et des détails sur les lieux et/ou les personnages.

– correspondances sonores

Le CD propose, lui aussi, une illustration sonore significative par le choix des instruments, les arrangements, l'interprétation et les bruitages.

Mais l'enfant ne pourra s'aider de toutes ces correspondances que dans une situation vécue. L'adulte comme l'enfant doivent donc être actifs et jouer avec leur corps de façon aussi expressive que possible. En effet, pour comprendre, l'enfant a besoin d'expérimenter par son corps. Dans les premières comptines (jeux avec l'adulte, chansons mimées), les gestes sont un soutien solide car ils sont très proches du sens du texte.

À QUEL ÂGE PEUT-ON COMMENCER ?

Il n'y a pas de réponse unique à cette question. On peut évidemment chanter et faire écouter dès le berceau les chansons et les berceuses. Les comptines suivent tout naturellement le développement général de l'enfant. Faites confiance à vos intuitions. Allez vers ce qui motive votre enfant, ce qui aiguise sa curiosité. Les chansons présentées ici s'adressent aussi aux plus grands, dans le cadre scolaire par exemple. Devant un groupe, le rythme sera différent, les activités pourront être plus variées et les jeux collectifs prendront un autre relief.

UNE SENSIBILISATION À UNE AUTRE LANGUE PEUT-ELLE CONCERNER TOUS LES ENFANTS ?

Cette richesse culturelle s'affirme aujourd'hui comme une nécessité. Tous les enfants, et pas seulement ceux des familles «bilingues», sont concernés. Une approche précoce par le jeu favorise l'assimilation d'une langue étrangère.

À l'école comme dans la famille, on peut inviter les enfants à en faire la découverte. Plus tôt l'enfant aura été mis au contact d'une langue étrangère, moins il développera de blocages dans ses futurs apprentissages et plus il comprendra le jeu qui existe d'une langue à l'autre.

QUEL EST LE RÔLE DE L'ADULTE DANS CETTE DÉCOUVERTE ?

Pour créer chez l'enfant le désir de communiquer dans une langue étrangère, l'adulte doit lui-même exprimer son propre plaisir de découvrir cette langue avec lui. Comme on le fait naturellement en français, on peut donc jouer et mimer ces chansons anglaises aux moments privilégiés d'échange, fréquents dans la vie de l'enfant. Il faut aussi très vite mémoriser les paroles et les gestes des jeux pour les retrouver spontanément. Pour aider l'enfant, il est en effet très important de savoir «parler avec son corps». La qualité des gestes de l'adulte (expressivité du visage, des mains, du corps) est primordiale pour la compréhension.

L'adulte peut être amené à répondre à un enfant qui l'interroge sur la signification précise des textes. On en fera alors le récit en évitant une traduction mot à mot. Mais surtout, on exploitera toute situation nouvelle qui permet de réutiliser, dans un autre contexte, les termes et expressions déjà rencontrés dans les comptines et chansons.

COMMENT UTILISER LES DIFFÉRENTS SUPPORTS ?

Les différents supports (livre et CD) sont à la fois complémentaires et indépendants. Pour découvrir le sens des comptines et chansons, on peut bien sûr utiliser en même temps le livre et le CD. Mais l'écoute du CD entier demande du temps. Il semble donc difficile de suivre page à page sur le livre avec de jeunes enfants. Très vite, on exploitera donc séparément le livre et le CD.

Avec l'album, l'enfant explore les illustrations et peut retrouver, de mémoire, les comptines et chansons françaises ou anglaises qu'il commence à connaître.

Avec le CD, il peut profiter de la musique et chanter avec d'autres enfants, s'entraînant ainsi à mémoriser les textes.

QUELLES EXPLOITATIONS PEUT-ON FAIRE DE CES COMPTINES ET CHANSONS ?

Chaque fois que cela est possible, nous proposons des jeux très simples à faire avec les tout-petits: jeux de doigts, mime, danse... Des suggestions supplémentaires sont ajoutées pour des activités en groupe avec des enfants plus grands: corde à sauter, jeu de tape-mains... Certaines comptines se prêtent bien à une mise en scène. Avec des objets parfois très simples (marionnettes, peluches, poupées...) ou pourquoi pas en dessinant, l'adulte invente une situation de communication très riche.

On joue les différents personnages et, avec eux, on invente dialogues et récits créant ainsi un véritable «bain de langage». D'autre part, avec les explications des jeux traditionnels, nous présentons dans ces commentaires quelques suggestions pour en inventer d'autres, en particulier en anglais, car les comptines et chansons peuvent être utilisées pour des jeux toujours renouvelés.

Michèle Moreau

CHANSONS À MIMER

La nature et les animaux ont toujours été au cœur de nombreuses comptines, chansons et histoires. Les enfants aiment s'identifier à ces petits héros et aux situations qu'ils leur font vivre. En reprenant ces petites comptines, en mimant les animaux qui les peuplent, ils vont utiliser leurs mains et leur corps pour partager et s'exprimer. Mimer un texte leur permet aussi d'en fixer le sens et de mieux le retenir.

This little bird p. 4

Pouces croisés, paumes ouvertes, les enfants écartent les doigts et agitent leurs mains pour imiter les battements d'ailes de l'oiseau. Tout en suivant les paroles, ils lèvent les mains de plus en plus haut – le plus haut possible – pour évoquer l'oiseau qui s'envole.

Flaps its wings, flaps its wings

Les petits poissons dans l'eau p. 5

Cette chanson, très populaire dans les crèches et les écoles maternelles, peut également donner lieu à un jeu de mains. Les enfants miment les petits poissons qui nagent dans l'eau, puis les petits oiseaux qui volent. L'enfant s'identifiera facilement à ces animaux décrits comme «petits», par opposition aux «grands». Cette chanson lui offre le plaisir de mimer et donc de différencier les petits et les grands, de chanter à plusieurs et surtout de se dire qu'il est possible de bien faire quelle que soit sa taille.

On peut inventer d'autres couplets assez facilement, comme Christine Destours dans l'album *Les petits poissons dans l'eau* dans la collection «Pirouette»[1]:

Les petits mille-pattes au sol,
Marchent, marchent, marchent,
marchent, marchent...
Les petites vaches dans l'herbe,
Trottent, trottent, trottent,
trottent, trottent...

NOMMER SON CORPS ET SE MOUVOIR

Ces deux comptines amènent l'enfant à découvrir son corps en s'amusant. Au moment d'apprendre à marcher, il découvre petit à petit l'équilibre, le maintien, et devient capable d'évoluer de façon mesurée dans l'espace.

Premiers exercices de psychomotricité, ces comptines sont aussi l'occasion de découvrir le plaisir de danser avec d'autres, de partager.

Dingle dangle scarecrow p. 6

Cette comptine, au rythme de plus en plus rapide, réjouit les petits. Ils découvrent des mots aux sonorités amusantes qu'ils prennent plaisir à prononcer durant le jeu. Roulés en boule, les enfants font d'abord semblant de dormir puis se mettent debout et imitent l'épouvantail qui marche en raidissant leurs bras et leurs jambes, comme s'ils étaient de bois. Ils secouent ensuite la tête, puis les mains, les pieds, etc.

Un petit pouce qui marche p. 7

Comme sa cousine anglaise, cette comptine permet à l'enfant de prendre cons-cience des différentes parties de son corps et donc de se repérer dans l'espace. On peut poursuivre la comptine en nommant d'autres parties du corps ou varier les versions en modifiant les verbes :
Un petit pied qui tape
Une petite main qui tourne, etc.

Jelly on a plate p. 8

La *jelly* – gelée – est un dessert traditionnel anglais aux couleurs acidulées que l'on sert habituellement pour les fêtes d'anniversaire des enfants. Cette chanson peut être déclinée en ajoutant d'autres mets appréciés des petits Anglais. Il est alors possible d'explorer d'autres sonorités amusantes ou de faire découvrir différents verbes d'action.

Sweeties in the jar
  Des bonbons dans un bocal
Shake them up
  Secouez-les
Sweeties in the jar
  Des bonbons dans un bocal
Ice cream in a cone
  Une glace dans un cornet
Scoopy, scoopy
  À la louche
Ice cream in a cone
  Une glace dans un cornet
Sausages in the pan
  Des saucisses dans la poêle
Sizzle, sizzle
  Ça grésille
Sausages in the pan
  Des saucisses dans la poêle

Les enfants s'amusent à imiter différentes façons de se mouvoir : le tremblement de la gelée, le pas mal assuré des vieilles femmes, le dandinement du canard, etc. On pourra leur poser un objet sur la tête pour figurer l'assiette pleine de gelée : l'enjeu est alors de garder l'objet en équilibre tout en se déplaçant. Les enfants jouent avec les onomatopées qui accompagnent les mouvements, prennent plaisir à les répéter et peuvent même en inventer pour illustrer d'autres actions. Un jeu de corde peut aussi accompagner cette comptine : deux joueurs font tourner la corde tandis qu'un autre saute. En fonction des paroles (*one jelly, two ducks, three old ladies*), les enfants qui sautent peuvent être de plus en plus nombreux.

Il était une fermière p. 9

Cette chanson permet à l'enfant de se repérer dans l'espace, d'apprendre à distinguer les directions tout en partageant avec d'autres le plaisir de la danse et de la chorégraphie. On peut placer sur sa tête un objet qui fera office de panier : la concentration requise pour ne pas le faire tomber, sa chute fréquente ne manqueront pas de déclencher la joie et les rires ! Cette chanson est basée sur la répétition : au fur et à mesure, l'enfant mémorise les mots et les gestes.

CHANSONS À HISTOIRES

Très prisée des enfants et des adultes, cette chanson traite des bêtises et des punitions. Il y est question d'une logique que les enfants connaissent bien: ils mesurent, ils jugent, ils jaugent par eux-mêmes. Les chatons de la chanson font penser à un de ces petits surnoms affectueux souvent donnés aux enfants par leur maman: «mon p'tit chat», «mon chaton»... Les courts dialogues sont faciles à transformer en saynètes à jouer avec les petits.

Three little kittens p. 10

Cette chanson apparaît pour la première fois au XIXe siècle. Imiter les miaulements et ronronnements des petits chats en répétant les onomatopées sonores qui jalonnent la chanson (*mee-ow, mee-ow, purr-r, purr-r*) ravit les enfants!

Trois petits minous p. 11

Les onomatopées disparaissent dans cette version française qui apparaît comme une copie de la version anglaise. Il en existe d'autres couplets:

Trois petits minous
Qui avaient sali leurs mitaines
S'en vont trouver leur mère
Trois petits minous
Qui avaient lavé leurs mitaines...
Trois petits minous
Qui avaient troué leurs mitaines...
Trois petits minous
Qui avaient r'prisé leurs mitaines...

JEUX DE MAINS

Ces deux «enfantines» pourront être guidées dans un premier temps par l'adulte qui prend le petit enfant sur ses genoux. Petit à petit, celui-ci prendra une part de plus en plus active à ces jeux de mains qui lui permettent de s'exprimer.

Wind the bobbin up p. 13

L'enfant mime chacune des actions décrites avec ses mains. Il les fait d'abord tourner l'une autour de l'autre pour imiter l'enroulement de la bobine, puis tire sur une corde imaginaire, *Pull, pull*. Enfin il tape trois fois dans ses mains, *Clap, clap, clap*... La suite de la chanson permet d'énumérer les différentes parties de la chambre ou de la maison (*Point to the ceiling, point to the floor*...) et ainsi d'apprendre à les reconnaître pour les pointer du doigt. Rappelons que les jeunes enfants aiment particulièrement nommer et désigner ce qu'ils connaissent.

Enroulez le fil p. 13

L'enfant fait tourner ses deux mains l'une autour de l'autre dans un sens puis dans l'autre, il tire ensuite un fil imaginaire qui vient d'en haut et tape dans ses mains en suivant les paroles. Ce petit jeu demande une certaine concentration pour coordonner correctement gestes et paroles. Pour le tout-petit, cette comptine est l'occasion d'un face-à-face intense avec l'adulte. Il est à la fois acteur et destinataire de ce court récit qui semble naître de son corps pour sa plus grande joie.

CHANSONS À JOUER

Ces chansons mettent en scène deux monuments emblématiques: le pont de Londres et la tour Eiffel. Les jeux qui les accompagnent sont très différents.

London Bridge
is falling down

Falling down,
falling down

My fair Lady

il passe dans le camp correspondant. Quand tous les enfants ont été attrapés, chaque camp forme une ligne (les enfants se tiennent par la taille) et les deux lignes s'affrontent en tirant chacune de son côté : les plus forts gagnent !

La tour Eiffel a trois cents mètres p. 15

La tour Eiffel, édifiée par Gustave Eiffel pour l'exposition universelle de Paris en 1889, est restée le monument le plus élevé du monde pendant plus de 40 ans, jusqu'à la construction en 1930 du Chrysler Building à New York. Aujourd'hui, face aux 828 mètres de la tour Burj Khalifa à Dubaï (inaugurée en janvier 2010), notre tour Eiffel et ses 324 mètres de hauteur semble bien petite !

Le jeune enfant prend plaisir à énumérer les chiffres, à les apprendre par cœur. Ces chiffres qui défilent stimulent sa curiosité, l'aident à appréhender le temps et l'espace, lui donnent l'impression de détenir un premier pouvoir sur les choses. Cette chanson peut être accompagnée d'un jeu à la corde. Dans une autre version, elle se termine par :

Il faut payer
Combien ?
ou par :
Pour y monter
Il faut compter jusqu'à...

Le maître du jeu proclame alors un chiffre. Le joueur saute à la corde en comptant jusqu'au chiffre choisi, puis il sort et est remplacé. S'il se prend les pieds dans la corde avant, il est éliminé.

London Bridge is falling down p. 14

D'abord construit en bois, ce pont fut remplacé par un ouvrage en pierre au XIIᵉ siècle. Il comportait dix-neuf arches et abritait des maisons, des commerces et même une chapelle. En 1831, le pont de Londres fut reconstruit en granit mais l'édifice, jugé trop étroit, fut revendu en 1969 aux États-Unis qui le remontèrent en Arizona... au milieu d'un champ ! En 1973, la ville de Londres inaugura le pont actuel dessiné par l'architecte Harold King. La *fair Lady* de la chanson pourrait être la reine Mathilde d'Écosse, femme d'Henry I, qui contribua à la construction d'une série de ponts entre Londres et Colchester au XIIᵉ siècle, ou encore Éléonore de Provence, femme d'Henry III, qui géra les péages de tous les ponts de 1269 à 1281.

Il existe d'autres couplets très connus :

Build it up with iron and steel
Reconstruisons-le
avec du fer et de l'acier
Iron and steel will bend and break
Le fer et l'acier risquent

de se tordre et de se plier
Build it up with silver and gold
Reconstruisons-le
avec de l'argent et de l'or
Silver and gold will be stole away
L'argent et l'or risquent d'être volés
Build it up with wood and clay
Reconstruisons-le
avec du bois et de l'argile
Wood and clay will wash away
Le bois et l'argile
risquent d'être emportés par l'eau

Deux enfants forment un pont en se tenant par les mains face à face. Ils se mettent d'accord en secret sur ce qu'ils représentent : les bâtons (*sticks*) ou les pierres (*stones*). Les autres enfants défilent sous le pont tout en chantant. Après *My fair Lady*, les deux « piliers » baissent les bras de manière à emprisonner l'enfant qui passe à ce moment-là. Ils le prennent à part et lui demandent de choisir – en scandant bien les paroles – l'une ou l'autre des deux propositions. Selon sa réponse, qui doit être chuchotée afin que les autres n'entendent pas,

° 48

HISTOIRES À PERSONNAGES

Michael Finnegan p. 16

On attribue cette chanson au folklore traditionnel irlandais. Il existe de nombreux autres couplets connus :

He went fishing with a pinigin

    Il alla pêcher avec une épingle

    à nourrice

Caught a fish but dropped it in again

    Il attrapa un poisson,

    mais le relâcha

He grew fat and then grew thinagin

    Il grossit puis maigrit

Then he died and we have

To begin again...

    Il en est mort

    On doit donc recommencer...

Cette chanson, très populaire chez les scouts qui la chantent lors de longues marches ou de veillées, peut se poursuivre à l'infini. Souvent les animateurs sont obligés d'y mettre un terme en ajoutant cette dernière phrase :

Poor old Michael,

please don't begin ag'in

    Pauvre vieux !

    S'il vous plaît ne recommencez plus.

Ou :

Poor old Michael Finnegan ! Stop !

    Pauvre vieux ! Arrêtez là !

Barbapou p. 17

Cette chanson met en scène un drôle de personnage assez repoussant. La ritournelle et le jeu sur les consonnes *b* et *p* amusent beaucoup les enfants de tout âge ! Elle permet aussi de dédramatiser la question des poux, problème récurrent bien connu des parents !

CHANSONS POUR DORMIR

Ces deux berceuses préparent l'enfant au coucher. Il s'agit de lui faire prendre conscience des bienfaits du repos, du plaisir et du confort qu'il apporte.

Dodo goutte d'eau p. 18

Le rythme lent de cette chanson est source d'apaisement. Elle évoque un environnement extérieur peu avenant – il pleut, le vent siffle, le feu s'est éteint – en opposition avec l'univers confortable, calme et chaleureux où l'enfant s'endort.

Wee Willie Winkie p. 19

L'auteur de cette chanson d'origine écossaise est William Miller (1810-1872). Les paroles évoquent le roi William III (1650-1702) qui était surnommé Willie Winkie. Ce personnage, véritable personnification du sommeil, n'est pas sans rappeler le marchand de sable qui court à travers la ville pour vérifier que les enfants dorment bien. En anglais, *forty winks* ou *have a wink* signifie fermer les yeux quelques secondes, faire un petit somme.

JEUX DE CORPS, DE DOIGTS (CHANSONS À MIMER)

Here is the tree p. 20

Debout, écarter les bras et remuer les doigts de manière à imiter les branches et les feuilles de l'arbre agitées par le vent. Ensuite, fermer les poings et replier les bras pour mimer les pommes. Puis gonfler les joues et souffler pour imiter le vent qui les fait tomber. En croisant les doigts, mimer les paniers pour ramasser les pommes.

Here is the tree
with leaves so green

Here are the apples
that hang between

Here is a basket
to gather them all

Je fais le tour de mon verger p. 21

Ce jeu de doigts sera mené par l'adulte puis par l'enfant lui-même lorsqu'il sera plus grand. Il peut même à ce moment-là inverser les rôles et se servir de la main de l'adulte. L'une des mains est ouverte, paume en l'air. On trace alors avec l'index de la main opposée un cercle dans la paume ouverte pour faire le tour du jardin. En partant de l'index, on replie ensuite un à un les doigts à chaque fois qu'un arbre est évoqué. Lorsque tous les doigts sont repliés, l'index dessine le ruisseau au creux de la paume, puis tous les doigts viennent chatouiller la paume pour figurer les oiseaux qui viennent boire. La main devient un terrain de jeu, l'occasion de gestes tendres, entre caresses et massages, qui stimulent l'imagination. Cette comptine permet également d'énumérer et de mémoriser les noms des arbres fruitiers.

Sing, sing, sing p. 22

Cette chanson est une invitation à chanter et à jouer avec les sonorités. La répétition du son s, les rimes, les associations de mots farfelus réjouissent les petits. On peut jouer avec plusieurs enfants à poursuivre la chanson en trouvant de nouveaux mots qui riment avec me sans se soucier du sens global. Chacun à leur tour, ils doivent rapidement trouver la rime suivante afin de ne pas rompre le rythme de la chanson.

Sing, sing, sing a little song with me
  Chante, chante, chante
  une petite chanson avec moi
About a flower or a bumble bee
  À propos d'une fleur
  ou d'un bourdon

Y'a une pie dans l'poirier p. 23

Vraisemblablement d'origine normande, cette chanson[2], par ses jeux de répétitions et ses variations subtiles, oblige les enfants à un travail d'écoute et d'articulation extrêmement précis.
On s'amusera, comme Martine Bourre dans *Y'a une pie dans l'poirier*[3] à imaginer d'autres animaux dans d'autres lieux et à varier les verbes amenant ainsi les enfants à élargir leur vocabulaire.
Y'a un bouc dans l'verger
J'entends le bouc qui broute...

D'AUTRES CHANSONS À JOUER

Le jeu qui accompagne ces deux chansons est identique. Deux enfants forment un pont en se tenant par les mains face à face (cf. *London Bridge*). Ils se mettent d'accord en secret sur le fruit qu'ils représentent : pomme ou abricot pour la chanson française, orange ou citron pour la chanson anglaise. Les autres enfants défilent sous le pont tout en chantant. Après *Un, deux, trois* en français et *Chop, chop, chop* en anglais, les deux «piliers» baissent les bras de manière à emprisonner l'enfant qui passe à ce moment-là. La suite du jeu est identique à celui de *London Bridge*. Ce type de gestuelle renvoie à des pas de danse du Moyen Âge que l'on retrouve de nos jours dans de nombreuses danses folkloriques.

° 50

Oranges and lemons p. 24

Les églises citées dans cette comptine se trouvent dans la City de Londres. À l'époque où on enfermait les prisonniers dans la tour de Londres, les cloches des églises avoisinantes rythmaient sans doute les longues journées qu'ils passaient dans l'attente de leur exécution. Nombre d'entre eux étaient là, car ils n'avaient pas été en mesure de payer leurs dettes. On apportait probablement aux condamnés, la veille de leur exécution, une bougie pour éclairer leur dernière nuit. Quant au *chop off your head*, il fait référence à la façon dont ils étaient exécutés. On peut d'ailleurs toujours voir le billot sur lequel les prisonniers offraient leur tête au bourreau quand on visite la tour.

Il existe deux autres couplets :
When will that be?
    Quand allez-vous me payer ?
Say the bells of Stepney
    Dit la cloche de Stepney
I do not know
    Je ne sais pas
Says the great bell at Bow
    Dit la grande cloche de Bow

La p'tite hirondelle p. 26

Une fois qu'ils ont été attrapés sous les arches du pont, les enfants rangés derrière l'un ou l'autre des deux camps peuvent donner de petites tapes à ceux qui passent sous le pont au moment des trois p'tits coup de bâton. Ces «coups pour rire» sont beaucoup plus importants qu'ils n'en ont l'air, car ils permettent aux enfants d'apprendre à doser leur force, de manière à ne pas faire mal à leurs camarades. C'est grâce à ce type de jeux que l'apprentissage se fait, sans notion de culpabilité...

Aiken Drum p. 28

Si on ne connaît pas vraiment l'origine de cette chanson, on sait qu'elle était chantée en Écosse dès le début du XIXᵉ siècle. Ce personnage farfelu rappelle Dame Tartine et son mari «coiffé d'un beau fromage blanc»!

Il est possible de faire varier le second couplet. Les enfants peuvent alors imiter le personnage en tapant sur toutes sortes d'ustensiles de cuisine : couvercles de casseroles, cuillères en bois, poêles à frire se transformeront aisément en instruments de musique! Les enfants s'amusent ensuite à habiller Aiken Drum de victuailles des pieds à la tête :
His coat was made of good roast beef
    Son manteau était fait d'un rôti
His buttons were made of penny loaves
    Ses boutons étaient de petits pains
His waistcoat was made of crust of pies
    Son gilet de pâte brisée
His breeches were made of haggis bags
    Son pantalon de panses de brebis

Dans des versions plus modernes de la chanson, les joues d'Aiken Drum sont faites de pizzas et ses cheveux de nouilles!

Le petit crapaud p. 29

La Lune fascine les plus petits. Changeante et rassurante à la fois, elle brille au cœur de la nuit et empêche l'obscurité totale de s'installer. On retrouve cet astre dans de nombreuses comptines et berceuses comme *Au clair de la Lune* ou *Bonsoir madame la Lune*. Il existe un dernier couplet :
Et la Lune danse doucement sur l'eau
Elle se balance au son des grelots
Et puis elle écoute le chant des crapauds

HISTOIRES D'OURS

L'ours en peluche est un jouet tradition-nel qu'on offre habituellement aux bébés en France aussi bien qu'en Angleterre. Compagnons des premiers moments de l'enfance, certains ours en peluche sont devenus de véritables objets de collection. Il existe même en Angleterre un musée qui leur est dédié : le *Teddy Bear's Museum* à Petersfield. Le nom anglais de l'ours en peluche, *Teddy Bear*, vient d'une anecdote concernant le président des États-Unis, Théodore Roosevelt, qui était surnommé Teddy. Un jour, pour lui éviter de rentrer bredouille de la chasse, ses amis capturèrent un vieil ours blessé. Le président refusa de tuer l'animal mais l'expression *Teddy's bear* (l'ours de Teddy) était née... Les caricatures se mirent à fleurir dans les journaux, et le premier ours en peluche portant ce nom fut commercialisé en 1903.

Teddy Bear p. 30

Cette chanson se mime facilement avec les petits. Elle peut aussi accompagner un jeu de corde à sauter. Tandis que deux joueurs tournent la corde, les autres enfants sautent chacun à leur tour en mimant les actions décrites. Faire un tour sur soi-même (*turn around*), se baisser pour toucher le sol (*touch the ground*), frôler du doigt le bout de leur chaussure (*show your shoe*)... Sur *That will do*, celui qui saute à la corde sort du jeu et un nouveau joueur le remplace.

Il existe un second couplet très connu :
Teddy Bear, Teddy Bear, go upstairs
   Teddy Bear, Teddy Bear,
   monte dans ta chambre
Teddy Bear, Teddy Bear,
say your prayers,
   Teddy Bear, Teddy Bear,
   fais tes prières
Teddy Bear, Teddy Bear,
switch off the light
   Teddy Bear, Teddy Bear,
   éteins la lumière
Teddy Bear, Teddy Bear, say good night
   Teddy Bear, Teddy Bear,
   dis bonne nuit

Mon bon papa m'a donné p. 31

Mimer la démarche lourde et dandinante de l'ours ravit les petits ! Cet animal, perçu par les enfants comme une grosse peluche, suscite naturellement leur sympathie.

SAYNÈTES
DE LA VIE QUOTIDIENNE
I'm a little teapot p. 32

Les enfants miment la théière en suivant les paroles de la chanson. Ils placent une main sur la hanche pour former l'anse, allongent légèrement l'autre bras pour faire le bec. Le thé est prêt, la théière chante plus fort sur *Hear me shout*. Pressée d'être saisie, elle fait un petit saut puis s'incline sur le côté afin de servir le thé... Il existe une suite intéressante à cette chanson. Plus récente, elle est sans doute la contribution d'une crèche ou d'une maternelle.

I'm a clever teapot
   Je suis une théière intelligente
Yes, it's true
   C'est vrai
Here's an example of what I can do
   Voici un exemple
   de ce que je sais faire
I can change my handle to my spout
   Je sais échanger mon anse
   et mon bec
Pick me up and pour me out
   Soulève-moi et verse-moi

Here's my handle
and here's my spout

Pick me up
and pour me out

The wheels on the bus
Go round and round

The wipers on the bus
Go swish, swish, swish

J'ai cassé la vaisselle à maman p. 33
Cette courte comptine permet à l'enfant d'explorer et d'apprivoiser son désir de transgression. Elle permet de se réjouir à l'idée d'une très grosse bêtise qui fait beaucoup d'effet, comme de casser ouvertement assiettes, plats ou verres. Donner des ordres à ses parents, casser des objets : autant d'envies secrètes, de situations que l'enfant peut vivre impunément grâce aux comptines. On peut faire un jeu très simple avec un petit. Adulte et enfant face à face, se tenir les mains et les balancer d'un côté puis de l'autre. Après *Un, deux, trois,* lâcher les mains et tourner sur soi-même. Puis rattraper les mains pour recommencer.
Il existe une variante pour des enfants plus grands : les couples ne se lâchent plus les mains sur *Un, deux, trois,* mais tournent ensemble. Le couple qui tourne le plus longtemps sans se lâcher a gagné. Il arrive bien souvent que les enfants tombent sur leurs fesses, gagnés par le tournis, dans de grands éclats de rire !

CHANSONS ÉNUMÉRATIVES

Les rues de la ville sont une source d'émerveillement pour les petits. Ils ne se lassent pas de regarder les voitures, bus et camions qui les parcourent, et d'imiter les drôles de bruits produits par ces grosses machines. Ces deux chansons énumératives évoquent ce spectacle magique du quotidien.

The wheels on the bus p. 34
Les enfants sont invités à imiter les mouvements des parties du bus qu'on énumère. Les bras repliés, les coudes serrés le long du corps, ils roulent les épaules pour mimer le mouvement des roues à la manière d'une locomotive. Au second couplet, les enfants tendent les bras devant eux et les bougent de droite à gauche pour faire les essuie-glaces.

Au troisième, ils font semblant d'être les conducteurs du bus et appuient sur un klaxon imaginaire en en imitant le son... Les enfants apprécient particulièrement cette chanson. Ils prennent un plaisir jubilatoire à répéter les sons évocateurs qui la ponctuent. Quel bonheur d'avoir le droit de faire autant de bruit qu'on veut ! S'ils font trop de bruit, on ajoutera le couplet suivant, pour calmer le jeu :
The children on the bus
make too much noise
> Les enfants dans le bus
> font trop de bruit

Et s'ils n'en tiennent pas compte, on finira par le couplet suivant, qu'on chantera le plus doucement possible en faisant semblant de s'endormir :

The babies on the bus fall fast asleep
> Les bébés dans le bus
> dorment à poings fermés

La totomobile p.35

Cette chanson narrative insolite amuse beaucoup les enfants par ses jeux de répétition et ses onomatopées qui leur permettent d'imiter le bruit du klaxon. Elle connaît d'ailleurs un vrai succès dans les cours d'école et les colonies de vacances. Les situations rocambolesques qu'elle évoque stimulent l'imagination des petits et les font rire. Voici la suite de la chanson[4] :

Jour mémorable de sa deuxième sortie
Quand elle entra dans une quincaillerie
Dans une quincaillerie ? Aahh !
Jour mémorable de sa troisième sortie
Quand elle arriva aux portes du Paradis
Aux portes du Paradis ? Aahh !
Jour mémorable de sa quatrième sortie
Quand elle arriva devant Jésus-Christ
Devant Jésus-Christ ? Aahh !

EN AVANT LA MUSIQUE !

Ces deux chansons invitent les enfants à nommer et donc à découvrir différents instruments. Les enfants s'amusent à mimer la façon d'en jouer et les sons qu'ils produisent.

Les deux chansons peuvent être à accumulation; elles sont dès lors chantées sous forme de randonnées. À l'inverse de la chanson anglaise, la chanson française permet aux enfants d'inventer des noms d'instruments à leur guise. Ce jeu d'invention libère les imaginations et provoque de grands éclats de rires !

We can play p.36

Les enfants se placent en demi-cercle face à un adulte qui joue le chef d'orchestre. Il est possible d'ajouter d'autres instruments de musique à trois syllabes (*violin, tambourine, triangle...*) à la suite du premier instrument évoqué :

Oh we can play on the triangle
   (Dans notre orchestre)
   on joue du triangle
And this is how we do it
   Et voici comment on en joue
Ting, ting, ting, goes the triangle
   Ting, ting, ting fait le triangle
Boom, boom, boom
goes the big bass drum, etc.
   Boum, boum, boum
   fait la grosse caisse, etc.

Il est également possible d'ajouter des noms d'instruments plus courts accompagnés d'adjectifs : *silver flute, gold trumpet...*

La mistenlaire p.38

Cette randonnée enfantine très ancienne est apparue pour la première fois au XVIIe siècle. Elle énumère les instruments de musique courants à l'époque. La dernière strophe donne le ton et laisse imaginer que cette chanson faisait partie du répertoire de fin de noces ou de banquet. Dans une version du XVIIIe siècle, *misten* était remplacé par *ouysten*. Le ton était alors un peu coquin, en particulier lorsque les dames demandaient aux messieurs :

Ne sçavez vous point jouer
De la ouystenlaire ?

Au XIXe siècle, la chanson passe dans le registre enfantin. Comme dans la version anglaise, on peut ajouter aux instruments déjà énumérés d'autres instruments à deux syllabes comme la viole, le tambour, la lyre... Les enfants apprécient particulièrement cette chanson à la forme dialoguée vivante.

CHANSONS À COMPTER

Ces deux comptines mettent en scène des animaux exotiques aux démarches amusantes et permettent aux enfants de les dénombrer avec un plaisir certain. Sensibles à la magie des nombres, les enfants aiment compter et inventorier ce qui les entoure : objets, membres de la famille, parties du corps... Dans chaque langue, la chanson est suivie d'une courte blague.

Alice the camel p. 40

Cette comptine peut donner lieu à un jeu de doigts : on montre d'abord les cinq doigts qui correspondent aux cinq bosses (on commencera alors la comptine par *Alice the camel has five humps*), puis on décompte en pliant les doigts un par un jusqu'à avoir le poing fermé : *no humps!* Mais elle peut aussi être l'occasion d'une danse qui sollicite le corps tout entier : les enfants forment un cercle très serré en plaçant leurs bras sur l'épaule de leur voisin. À chaque tour, les enfants plient les genoux tous ensemble autant de fois qu'on compte de bosses. Quand on arrive au *Boom, boom, boom*, chacun se déhanche et vient cogner en douceur son derrière contre celui du voisin, imitant ainsi le pas chaloupé des chameaux ! Soutenu par la cadence, l'enfant apprend à harmoniser ses gestes et à suivre la musique tout en s'exprimant au sein d'un groupe.

Il existe une autre fin pour cette chanson, qui rappelle la blague :

Alice the camel has no humps

 Alice le chameau n'a pas de bosse
Cause Alice is a horse, of course!

 Car Alice est un cheval, bien sûr !

Trois éléphants p. 41

Il existe un jeu de «tape-mains» circulaire pour accompagner cette chanson. En cercle, les enfants ont les mains posées paumes ouvertes sur celles de leurs voisins. Une «tape» circule de main en main de façon régulière et prévisible sur la pulsation, jusqu'au moment du *Badaboum* où il faut alors faire preuve de rapidité pour l'éviter. C'était un jeu de cour de récréation très prisé dans les années 1980-1990 en France, qui demandait une bonne coordination et une assez grande concentration.

Avec les tout-petits, cette chanson peut être tout simplement l'occasion de mimer la démarche lente et lourde de l'éléphant.

Plusieurs enfants se tiennent par la main, en plaçant leur bras droit entre leurs jambes. Le bras en avant figure la trompe, le bras en arrière la queue. À chaque *Badaboum*, un éléphant lâche la file et tombe par terre, ce qui ne manquera pas d'amuser follement toute la compagnie ! On peut compléter cette chanson par une courte comptine qui amuse beaucoup les tout-petits qui s'initient ainsi à l'humour.

Une bosse c'est un chameau
Deux bosses c'est un dromadaire
Trois bosses c'est mon p'tit frère
Qui tombe de l'escabeau

Trois éléphants
qui se balançaient

Sur une toile, toile, toile,
toile d'araignée

Ba-da-boum !

1 – *Les Petits Poissons dans l'eau*, Christine Destours, «Pirouette», Didier Jeunesse, 2004.

2 – *Le Livre des chansons de France et d'ailleurs*, Claudine et Robert Sabatier, Gallimard 2003, et *Chansons de France*, Père Castor, 1997, classent cette chanson dans les chansons normandes.

3 – *Y'a une pie dans l'poirier*, Martine Bourre, «Pirouette», Didier Jeunesse, 2010.

4 – *La Totomobile*, Christophe Alline, «Pirouette», Didier Jeunesse, 2011.

ANGLAIS >FRANÇAIS

This little bird p. 4
Un petit oiseau bat des ailes
Bat des ailes, bat des ailes
Un petit oiseau bat des ailes
Et prend son envol ce matin

Dingle dangle scarecrow p. 6
Quand les vaches se sont endormies
Et que le soleil s'est couché
L'épouvantail s'anime et se met à parler
Voici ce qu'il dit:
Je suis un bonhomme bringuebalant
Avec un chapeau aplati et tout flapi
Je secoue mes mains ainsi
Je secoue mes pieds aussi

Jelly on a plate p. 8
De la gelée dans un plat
Tremblante, tremblotante
Deux canards dans une mare
Tremblants, tremblotants
Trois vieilles dames allant au marché
Tremblantes, tremblotantes

Three little kittens p. 10
Trois petits chatons ont perdu leurs mitaines
Et commencent à pleurer
Maman chérie, nous sommes désolés
Nous avons perdu nos mitaines
Quoi ! Perdu vos mitaines, vilains chatons !
Vous n'aurez pas de gâteau
Miaou, miaou, miaou, miaou
Vous n'aurez pas de gâteau
Trois petits chatons ont retrouvé leurs mitaines
Et commencent à chanter
Maman chérie, regarde ici
Nous avons retrouvé nos mitaines
Vraiment ! Retrouvé vos mitaines, gentils chatons !
Alors vous aurez du dessert
Ron, ron, ron, ron
Vous aurez du dessert

Wind the bobbin up p. 13
Enroule le fil sur sa bobine
Tire-le bien, frappe dans tes mains
Avec ton doigt, montre le plafond
Montre le sol
Montre la fenêtre
Montre la porte
Avec tes mains tape un, deux, trois
Pose tes mains sur tes genoux

London Bridge is falling down p. 14
Le pont de Londres s'écroule
S'écroule, s'écroule
Le pont de Londres s'écroule
Gente dame
Consolidez-le avec des poutres et des pierres
Des poutres et des pierres, des poutres et des pierres
Consolidez-le avec des poutres et des pierres
Gente dame

Michael Finnegan p. 16
Un vieil homme nommé Michael Finnegan
Laissait pousser les poils sur son menton
Le vent s'est levé, sous la peau les poils sont rentrés
Pauvre vieux Michael Finnegan
Il lui fallut recommencer

Wee Willie Winkie p. 19
Willie Winkie court sans faire de bruit
Il traverse la ville en chemise de nuit
Il frappe à la fenêtre, souffle dans la serrure
Les petits sont-ils couchés?
Il est huit heures passées!

Here is the tree p. 20
Voici l'arbre aux feuilles si vertes
Qui cache ses pommes dans ses branches
Quand le vent souffle, les pommes tombent
Voici un panier pour les ramasser

Sing, sing, sing p. 22

Viens chanter une petite chanson avec moi
Une chanson qui parle d'un arc-en-ciel
Ou d'un pommier
Viens t'asseoir au soleil avec moi
Et ensemble nous pourrons chanter

Oranges and lemons p. 24

Oranges et citrons
Disent les cloches de Saint-Clément
Je vous dois cinq sous
Disent les cloches de Saint-Martin
Payez-nous sans délai
Disent les cloches de Vieux Bailey
Quand nous serons riches
Disent les cloches de Shoreditch
Voilà une bougie, au lit les petits
Voilà une hache, qu'on vous coupe le cou
Coupe, coupe, coupe, coupe !
Orange ou citron ?

Aiken Drum p. 28

Un petit homme vivait sur la Lune
Sur la Lune, sur la Lune
Un petit homme vivait sur la Lune
Il s'appelait Aiken Drum
Il faisait de la musique avec une louche
Une louche, une louche
Il faisait de la musique avec une louche
Il s'appelait Aiken Drum
Son chapeau était fait de fromage frais
Fromage frais, fromage frais
Son chapeau était fait de fromage frais
Il s'appelait Aiken Drum

Teddy Bear p. 30

Teddy Bear, Teddy Bear, fais-moi une pirouette
Teddy Bear, Teddy Bear, touche la moquette
Teddy Bear, Teddy Bear, montre-moi ton soulier
Teddy Bear, Teddy Bear, tu peux te reposer

I'm a little teapot p. 32

Je suis une petite théière
Trapue et dodue
Une anse d'un côté
Un bec de l'autre
Quand je vois des tasses
Je saute de joie
Soulève-moi
Et verse-moi !

The wheels on the bus p. 34

Les roues du bus tournent et tournent
Tournent et tournent, tournent et tournent
Les roues du bus tournent et tournent
Toute la journée
Les essuie-glaces balaient flic floc
Flic floc, flic floc, flic floc, flic floc
Les essuie-glaces balaient flic floc
Toute la journée
Le klaxon fait tut, tut, pouet, pouet
Tut, tut, pouet, pouet, tut, tut, pouet, pouet
Le klaxon fait tut, tut, pouet, pouet
Toute la journée

We can play p. 36

On joue de la grosse caisse
Et voici comment on en joue
Boum, boum, boum
Fait la grosse caisse
Voici comment on en joue

Alice the camel p. 40

Alice le chameau a trois bosses (ter)
Allez vas-y Alice, bouge !
Boum, boum, boum !
Alice, le chameau a deux bosses...

FRANÇAIS > ANGLAIS

Les petits poissons dans l'eau p. 5

The little fish in the water
Swim, swim, swim, swim, swim
The little fish in the water
Swim just as well as the big ones
The little fish, the big fish swim just so
The big fish, the little fish swim just as well
The little fish in the water
Swim, swim, swim, swim, swim
The little fish in the water
Swim just as well as the big ones

The little birds in the air
Fly, fly, fly, fly, fly
The little birds in the air
Fly just as well as the big ones
The little birds, the big birds fly just so
The big birds, the little birds fly just as well
The little birds in the air
Fly, fly, fly, fly, fly
The little birds in the air
Fly just as well as the big ones

Un petit pouce qui marche p. 7

This little thumb is walking (ter)
And that's my way of having fun
This little hand is dancing (ter)
And that's my way of having fun
This little foot is moving (ter)
And that's my way of having fun

Il était une fermière p. 9

A farmer's wife was off to market
On her head, three apples in a basket
Round and round they rolled
Take three steps forward
Three steps back
Three steps to one side
Three steps to the other side